Irene Dische · Hans Magnus Enzensberger

Esterhazy
Eine Hasengeschichte

Bilder von Michael Sowa

Verlag Sauerländer

Aarau · Frankfurt am Main · Salzburg

AN ALLE KINDER,
DIE LESEN KÖNNEN

Das A in Esterhazy
ist so lang wie ein Hasenohr,
Und das Z ist gar kein Z,
sondern ein S,
so weich wie eine Hasennase.
Merkt euch das!
Und damit ihr es nicht vergeßt,
ruft bitte dreimal
ganz laut:
ESSTER-HAASIE,
ESSTER-HAASIE,
ESSTER-HAASIE!

Familien kriegen oft Kinder, man weiß nicht genau, warum. Die Esterhazys haben seit ewigen Zeiten immerzu Kinder gekriegt. Schon vor zweihundert Jahren waren sie wahrscheinlich die größte Familie in ganz Österreich. Das heißt, eigentlich waren sie gar nicht besonders groß, nur zahlreich. Um die Wahrheit zu sagen, die Esterhazys wurden sogar im Lauf der Zeit immer kleiner und kleiner, weil sie leider nie genug Salat und Karotten aßen, sondern fast nur Pralinen und Torten, Bonbons und Strudel. Und so kam es, daß die Esterhazys, von denen unsere Geschichte handelt, sehr sehr winzig und sehr sehr intelligent waren.

Der regierende Fürst Esterhazy machte sich Sorgen wegen seiner unzähligen Kinder und Kindeskinder. In den Schuhgeschäften wurden sie ausgelacht, weil ihnen sogar die Babyschuhe zu groß waren. Auch mit dem Radfahren hatten sie Schwierigkeiten, weil ihnen der Sattel zu hoch war und weil ihre Pfoten nicht bis zu den Pedalen reichten. Und als der jüngste Esterhazy in einen Papierkorb fiel und nicht mehr herauskam, sagte der Fürst: «So kann es nicht weitergehen! Jetzt muß etwas geschehen.»

Drei Tage schloß er sich in sein Zimmer ein und dachte nach. Dann sprach der Fürst: «Ich will alle meine Enkel ins Ausland schicken. Jeder soll in einen anderen Teil der Welt fahren, sich eine große Frau suchen und eine Familie gründen. Denn die Welt ist leider so eingerichtet, daß kleine Hasen kleine Hasenkinder kriegen, während die großen Hasen immer größer und größer werden, so daß ihre Kinder kaum mehr in ihre Kinderbetten passen. Deshalb müssen sich die Esterhazys große Frauen suchen, je größer, desto besser.»

Eines Tages, der Frühling stand vor der Tür, zog der Fürst seinen schönsten weinroten Samtrock an und brachte alle seine Häschen zum Wiener Westbahnhof. «Und vergeßt nicht», sprach er zu seinen Enkeln, «nur das Beste ist für euch gut genug! Karotten, Salat und Petersilie. Aber frisch muß es sein. Und vor allem: keine Süßigkeiten!»

Die Hasenschar der Enkel jubelte ihm begeistert zu und bewarf den Fürsten mit Schokoladedragées.

Der jüngste aller Esterhazys hieß mit vollem Namen: Seine Erlaucht Michael Paul Anton Maria Prinz Esterhazy der 12 792. von Salatina, gefürsteter Graf zu Karottenstetten, Graf von Endivienstein, Herr auf Petersilienburg, Lauchingen und Rübhofen.

Aber so nannte ihn natürlich kein Mensch und erst recht kein Hase, denn erstens kann niemand einen so langen Namen hersagen, und zweitens werden Hasen immer bei ihrem Familiennamen genannt. Merkt euch das! Deshalb nennen wir unseren Helden von nun an einfach Esterhazy.

Nun war aber Esterhazy, wie gesagt, der jüngste von allen Esterhazys, und deshalb war er auch der letzte, der in die Fremde fuhr. Die Familie hatte beschlossen, daß er sein Glück in Berlin versuchen sollte. Am Abend vor seiner Abreise nahm ihn der Fürst beiseite und gab ihm ein paar besonders gute Ratschläge.

«Jetzt oder nie, mein lieber Enkel», sagte er. «Wenn du es zu einer richtigen Familie bringen willst, dann mußt du dich nach einer Frau umsehen. Vor allem auf eines mußt du achten: daß sie so groß wie möglich ist. Und noch etwas», fügte er hinzu, «die Berliner Hasen wohnen alle hinter einer großen Mauer, der Himmel weiß, warum. Aber nur keine Angst! Wer sucht, der findet.»

Esterhazy küßte dem alten Fürsten dankbar die Pfote und stieg in den Schnellzug nach Berlin. Aus dem Fenster sah er seine Großeltern und Eltern, seine Onkel und Tanten, seine Schwestern und seine unzähligen Cousinen,

wie sie alle weinend mit ihren Taschentüchern winkten. Dann lehnte er sich aufgeregt und glücklich in die weichen Polster der ersten Klasse zurück.

Es wäre doch gelacht, dachte Esterhazy, wenn ich in dem großen, fernen Berlin keine große, ferne Frau fände; und wenn ich sie gefunden habe, werden wir in Saus und Braus leben.

Als der Zug am Bahnhof Zoo in Berlin ankam, lag ein großes, fernes Lächeln auf

seinen Lippen. Aber es war niemand gekommen, um ihn abzuholen, und niemand sah sich nach ihm um.

Der Bahnhof kam ihm ziemlich schäbig und düster vor, und es war sehr kalt. Sonderbare Leute standen da herum. Sie warfen einander böse Blicke zu, und es gefiel Esterhazy gar nicht, wie hungrig sie dreinblickten. Er hoppelte an endlosen Reihen von Schließfächern vorbei und suchte den Ausgang. Er hüpfte treppauf und treppab, aber nirgends fand er die richtige Tür.

Endlich kam ein großer Hund, der hinter ihm herschnüffelte, einer von der starken, männlichen Sorte, die Esterhazy nicht ausstehen konnte.

Der Hund glotzte ihn an und bellte: «Hasen haben auf diesem Bahnhof nichts zu suchen. Wenn du nicht sofort verschwindest, mache ich eine Bulette aus dir.» Dann zeigte er mit der Schnauze auf vier Schwingtüren, die Esterhazy gar nicht bemerkt hatte. Sie gingen direkt auf die Straße.

Alles war hell beleuchtet, und es wimmelte von Autos und Leuten und Ampeln. Esterhazy haßte das Gedrängel, und Läden interessierten ihn nicht. Er spitzte die Ohren und schnupperte überall herum, ob es nicht irgendwo

nach Hasen roch. Wie alle Esterhazys war er so kurzsichtig, daß er kaum bis zur nächsten Straßenecke sah.

Der alte Fürst hatte es mit den dicksten Brillen versucht. Bei ihm zuhause lagen überall Brillenfutterale herum, sogar in der Besenkammer und auf dem Klo. Aber am Ende hatte der Augenarzt gesagt: «Bei Ihnen, Durchlaucht, hilft alles nichts.»

Ihr müßt wissen: die meisten Fürsten haben es gern, wenn man sie Durchlaucht nennt. Man weiß nicht genau, warum. Dem Fürsten Esterhazy aber war es ganz egal, wie man ihn ansprach, und daß ihm keine Brille helfen konnte, das wußte er schon. Aber er war erschrocken, als der Augenarzt ihm sagte: «Und mit Ihrem Enkel ist es noch viel schlimmer. Der ist ein hoffnungsloser Fall, Durchlaucht.»

Seitdem lief Esterhazy ohne Brille herum und verließ sich lieber auf seine Nase.

Also hoppelte er immer seiner Nase nach über den Kurfürstendamm und an der Gedächtniskirche vorbei. Ab und zu stieß er an einen Hydranten, an einen Bettler oder an eine Würstchenbude, immer am Randstein entlang, weil er Angst hatte, die Leute würden auf ihm herumtrampeln. Er horchte und schnüffelte, und er stellte fest, daß es in Berlin zahllose Würstchenbuden, Hunde, Busse und Polizisten gab – aber keine Hasen.

Unterdessen war es hell geworden, und nach ein paar Stunden war Esterhazy ziemlich müde und hungrig. Er erinnerte sich an den guten Rat, den ihm der Fürst gegeben hatte, und suchte nach einer Mauer. Das Dumme war nur, daß es massenhaft Mauern gab, aber hinter diesen Mauern wohnten keine hübschen Häsinnen, sondern nur Berliner.

Aber dann . . .

Dann sah Esterhazy ein riesiges Schaufenster mit einem dottergelben Schild, auf dem zu lesen war: DER OSTERHASE KOMMT!

Und darunter saß, auf einem Thron aus grüner Holzwolle, ein hübsches braunweiß geschecktes Häschen mit einer rosa Schleife um den Hals. Die Berliner, dachte er, können wohl nicht richtig Deutsch. Seit wann schreibt man Esterhazy mit O?

Kaum öffnete sich die Tür des Geschäfts, lief er schnell hinein und sprang mit einem Satz auf den Ladentisch.

«Sie haben da ein wunderbares Häschen im Schaufenster», sagte Esterhazy. «Dürfte ich die Dame vielleicht aus der Nähe sehen?»

«Unser letztes Exemplar», sagte der Besitzer. «Wissen Sie, wegen der vielen weißen Flecken. Niemand mag ein Häschen, das so viele weiße Flecken hat. Das sieht ja aus wie ein Kaninchen. Und dann die rosa Augen! Sie dagegen, mein Herr, sehen wie ein echter Osterhase aus. Osterhasen dürfen nämlich nicht so groß sein, das mag die Kundschaft nicht.»

«Ich bin Österreicher», sagte Esterhazy stolz.

«Ja, Sie kommen sicher aus einem guten Stall. Das sieht man auf den ersten Blick», sagte der Besitzer neidisch. Er öffnete die Tür des Käfigs, und der Besucher hüpfte sofort hinein.

«Gestatten, Esterhazy», sagte Esterhazy höflich.

«Ich heiße Mimi», sagte die Häsin und sah ihn neugierig aus ihren rosigen Augen an. Sie war ein paar Wochen jünger als ihr Besucher, und trotzdem war sie schon einen ganzen Kopf größer.

«Ich komme aus Wien», sagte Esterhazy. «Darf ich fragen, wo Sie herstammen?»

«Ach», antwortete Mimi, «ich komme aus dem Tegeler Forst. Eine wunderbare Gegend!»

«Aber wenn es Ihnen dort so gut gefallen hat, warum sind Sie dann in die Stadt gezogen?»

«Er hat mich geschnappt und hierhergeschleppt», sagte sie und zeigte auf den Ladenbesitzer. «Meine Brüder und Schwestern hat er schon verkauft.»

Esterhazy war empört. «Ich werde ihm Bescheid sagen, daß er Sie augenblicklich freiläßt», rief er und griff entschlossen zur Türklinke. Doch zu seinem höchsten Erstaunen mußte er feststellen, daß der Käfig zugesperrt war. Das kommt davon, wenn man den Leuten über den Weg traut, sagte er sich. Wieder einmal war Esterhazy zu gutmütig gewesen. Doch er tröstete sich damit, daß Mimi bei ihm war. Schließlich war das eine gute Gelegenheit, sie näher kennenzulernen, und wer weiß, vielleicht konnte er sogar um Mimis Pfote anhalten und sie heiraten!

Davon träumte Esterhazy. Mimi gefiel ihm so gut, daß er gar nicht bemerkte, was dem Ladenbesitzer eingefallen war. Er hatte über dem Käfig ein Schild aufgehängt, auf dem stand: UNSER SONDERANGEBOT!

Am nächsten Morgen war Esterhazy immer noch so in Gedanken versunken, daß er gar nicht sah, wie ein kleiner Mann mit einem üppigen schwarzen Schnurrbart vor dem Schaufenster stehenblieb und ihn aufmerksam betrachtete. Der Mann betrat den Laden, und bevor Esterhazy auch nur «hopplahopp» sagen konnte, hatte ihn der Verkäufer an den Ohren gepackt und von Mimi getrennt, die im Käfig sitzenblieb und ihm mit ihren rosigen Augen traurig nachsah.

Er landete in einer dunklen Schachtel, die ganz komisch roch und wild hin- und herschaukelte.

Er hatte sich kaum von seinem Schrecken erholt, da hörte er ein lautes Geschrei. Die Schachtel öffnete sich, und der Mann rief: «Alles Gute zum Geburtstag, Eva!» Esterhazy wurde aus der Schachtel geholt und in einem Kreis von kreischenden Kindern abgesetzt. Die Kinder tanzten um Esterhazy herum und klatschten in die Hände. Nur ein Mädchen mit einer großen runden Brille tanzte nicht mit.

«Der ist aber winzig», sagte sie. «Du hättest mir ruhig einen größeren schenken können, Daddy. Oder ein Moped.» Der Mann, den sie Daddy nannte, seufzte.

«Außerdem», rief Eva, «riecht er so komisch. Er muß sofort gebadet werden.»

Damit zupfte sie Esterhazy an den Ohren, hob ihn hoch in die Luft und schleppte ihn in ein weißes Zimmer. Die andern Kinder liefen ihr nach, und

Esterhazy spürte, wie er in einer heißen Brühe versank. Er zappelte verzweifelt, denn eines müßt ihr euch merken: Alle Hasen sind wasserscheu, und sie können es nicht leiden, wenn man sie badet.

Der Mann mit dem Schnurrbart rettete Esterhazy vor dem Ertrinken. Aber seine Tochter Eva tobte. «Das ist mein Hase!» schrie sie.

«Ich dachte, er ist dir zu klein. Ich dachte, du wolltest lieber ein Moped haben.»

Die Kinder lachten, und Eva warf sich vor Wut auf den Boden. Daddy wickelte Esterhazy in ein großes Handtuch und trug ihn vorsichtig aus dem Badezimmer.

«Hier kannst du wohnen, mein Lieber», sagte er und setzte ihn in eine große Holzkiste.

Seine neue Wohnung hatte keine Möbel, aber dafür gab es eine Menge alter Zeitungen.

Ja, da saß er nun in seiner Berliner Kiste, und aus lauter Langeweile fing er an, Zeitung zu lesen. Zu seiner Überraschung kamen in den Berliner Zeitungen einfach keine Hasen vor. Immer nur Leute! Dicke Leute, dünne

Leute, Inländer und Ausländer. Die meisten hatten Kleider an, nur die Frauen liefen oft ohne Hemd herum und sahen aus, als wäre es ihnen zu kalt.

Einmal fand er sogar eine lange Geschichte über eine Mauer, sogar mit Bildern. Nur war auf den Bildern kein einziger Hase zu sehen, und der Mann, der die Geschichte geschrieben hatte, behauptete sogar, die Mauer sei ekelhaft und müsse weg.

Esterhazy wunderte sich und blätterte weiter, bis er zu den bunten Anzeigen kam. Dort waren wunderbare Schokoladen abgebildet, aber er wußte schon, daß man Bilder nicht essen kann.

In der Kiste war es ziemlich langweilig. Ab und zu brachte ihm Eva Salat und Karotten. Esterhazy versteckte die Rüben unter Evas Matratze. Als Eva ins Bett ging, schimpfte sie: «Esterhazy! Seit wann tut man Karotten ins Bett? Esterhazy! Du hast schon wieder meine Illustrierten angebissen!»

Eva schimpfte immer, entweder auf ihren Vater oder auf Esterhazy.

Einmal sah er, wie Daddy ein paar neue Unterhosen anprobierte. Es waren die schönsten Unterhosen der Welt, mit einem Leopardenmuster, schwarz und gelb. Daddy sah mit seinem schwarzen Schnurrbart ganz wild darin aus. Solche Unterhosen müßte man haben!

Am anderen Morgen probierte Esterhazy sie heimlich an. Obwohl sie ihm viel zu groß waren, machte er vor dem Spiegel Männchen.

«Esterhazy! Was fällt dir ein!»

So war sie immer.

Eines Tages kam sie aus der Schule mit einer großen Tüte nach Hause.

«Was hast du da drin?» fragte Esterhazy.

«Osterhasen», sagte Eva mürrisch.

Es waren winzige, in Silberpapier eingewickelte Hasen aus Schokolade.

«Die esse ich an Ostern auf», sagte Eva.

«Und was ist mit mir?»

«Hasen essen keine Osterhasen», sagte sie und machte sich schimpfend an ihre Hausaufgaben.

Das werden wir schon sehen, dachte Esterhazy, und als sie ins Bett gegangen

war, aß er sämtliche Schokoladehasen auf, bis nur noch das Silberpapier übrigblieb. Er war so satt, daß er sich nicht mehr von der Stelle rühren konnte. Außerdem hatte er Angst vor Eva.

Am andern Morgen, als Daddy ins Büro ging, wartete Esterhazy, bis er die Haustür aufmachte. Mit einem Satz war er draußen im Garten und lief im Zickzack davon. Nie wieder Eva, dachte er.

Jetzt war Esterhazy ein Berliner, weil er alle Berliner Zeitungen von vorne bis hinten gelesen hatte, auch die Stellenanzeigen. Eine hatte er sich herausgerissen:
                                    Osterhasen
                    Aushilfsweise gesucht. Gute Bezahlung!
                            Kaufhaus Wertlos

«Aha», sagte der Mann, der die Anzeige aufgegeben hatte. «Sie sind also von Beruf Osterhase? Wo haben Sie denn bisher gearbeitet?»

«Ich bin Österreicher. Mein Großvater ist der Fürst Esterhazy», sagte Esterhazy. «Das dürfte wohl genügen.»

«Ein Esterhazy!» sagte der Mann. «Sehr erfreut. Sie können gleich anfangen.»
Die Arbeit war leicht. Esterhazy setzte sich einfach in ein Schaufenster und schaute den Leuten zu, die ihm zuschauten. Er brauchte nur ein wenig herumzuhüpfen oder mit den Hinterläufen zu trommeln oder an einem Salatblatt zu knabbern oder einen Purzelbaum zu schlagen, und schon riefen die Zuschauer: «Wie niedlich!» und klatschten in die Hände.

Am Samstag vor Ostern hatte sich eine riesige Menschenmenge vor seinem Fenster versammelt, und Esterhazy dachte schon daran, eine Gehaltserhöhung zu verlangen.

Am Dienstag ließ ihn der Chef in sein Büro rufen. Er kam hinter seinem Schreibtisch hervor und sagte: «O.k., alter Affe, Ostern haben wir hinter uns. Raus jetzt!» Und so wurde Esterhazy einfach auf die Straße gesetzt.

Draußen war es ziemlich ungemütlich. Überall fuhren Motorräder, die einen entsetzlichen Lärm machten. (Hasen, müßt ihr wissen, haben empfindliche Ohren, und die sind so groß, daß man sie sich gar nicht zuhalten kann. Und als Hase braucht man seine Pfoten zum Laufen.) Außerdem war es auf der

Straße naß, weil es den ganzen Tag lang regnete. (Hasen sind wasserscheu.) Auf der Straße gab es nichts zu essen, außer weggeschmissene Kaugummis, Bierdosen und Currywürste. (Hasen mögen so was nicht.)

Also nahm Esterhazy unter einem roten Lieferwagen Platz. Da war es wenigstens trocken. Außerdem fiel ihm ein lieblicher Geruch auf. Er schnupperte und kam zu dem Schluß, daß das Auto nach Sachertorte und nach Apfelkuchen roch.

Er sah sich vorsichtig um und merk-te, daß die Tür des Lieferwagens offenstand. Mit einem Satz sprang er hinein. Vorne sah er wie ein Taxi aus, aber hinten war er mit Hunderten von Kuchen beladen. Unter den Kuchenblechen fand Esterhazy eine dunkle, warme Höhle mit Decken, Kissen und alten Zeitungen. Er nibbelte an ein paar Kuchenkrümeln, rollte sich zusammen und schlief ein. Als er aufwachte, war es draußen schon dunkel, und der rote Lieferwagen hielt vor einer Konditorei. Esterhazy fand unter der Decke eine Taschenlampe und schrieb einen langen Brief an den Fürsten.

«In Berlin gibt es außer mir, glaube ich, nur einen Hasen, oder besser gesagt: eine Häsin. Sie heißt Mimi und ist sehr hübsch und erstaunlich groß. Aber leider ist sie verschwunden. – Die Mauer, die Sie mir empfohlen haben, habe ich nirgends gefunden. Ich glaube, sie steht nur in der Zeitung. Es ist schwierig, hier als Hase Arbeit zu finden. Ein paar Tage lang habe ich in einem Kaufhaus als Osterhase gearbeitet, übrigens mit größtem Erfolg, aber dann hat man mich einfach rausgeschmissen.

Ich wohne jetzt in einem sehr gemütlichen Lieferwagen. Ihre wertvollen Ratschläge habe ich nicht vergessen, aber da es in einem Auto weder Karotten noch Petersilie gibt, muß ich mich leider von Apfelkuchen und Sachertorte ernähren.»

Der Mann, der das Auto fuhr, sang gerne, hatte lockige Haare und war immer gut aufgelegt. Glücklicherweise war er so schlampig, daß er nie aufräumte. Auch zählte er nie seine Torten nach, und so merkte er nicht, daß jemand in seinem Auto wohnte.

Immer, wenn der Mann die hintere Tür aufmachte, um seine Kuchen ein- und auszuladen, klappte Esterhazy seine Ohren nach hinten und war mucksmäuschenstill.

Das Auto fuhr durch die ganze Stadt und lieferte Kuchen an alle Kioske und Restaurants. Nur die berühmte Mauer war nirgends zu sehen.

So vergingen viele Wochen, und es wurde Sommer.

An einem schönen Samstag wurde Esterhazy durch eine Frauenstimme geweckt.

«Franco! Franco! Heute machen wir einen Ausflug.»

Aha, dachte Esterhazy, er heißt also Franco, und die kleine dicke Mamma, die vor dem Lieferwagen stand, ist vermutlich seine Frau.

«Dein Auto ist ja der reinste Saustall», sagte sie. «Bevor wir losfahren, werde ich mal richtig saubermachen. Hol mir einen Besen, Pizzi», sagte sie zu einem kleinen Jungen, der vor dem Haus herumlümmelte.

Dann öffnete sie die hintere Tür und räumte die Kuchenbleche weg.

«Was ist denn das?» rief sie.

Esterhazy war entdeckt.

«Gestatten, Esterhazy», sagte Esterhazy höflich.

«Che bello!» rief Franco und streichelte ihn.

Auch Pizzi, der kleine Junge, war begeistert.

Sie fuhren auf eine große Wiese. Endlich konnte Esterhazy zeigen, was er für ein toller Läufer war. Wie der Blitz rannte er hin und her. Er war der einzige Hase auf der ganzen Wiese und wurde allgemein bewundert.

Von nun an gehörte Esterhazy zur Familie. Pizzi spielte mit ihm, und Franco fuhr mit ihm durch die ganze Stadt. Er durfte soviel Apfelkuchen essen, wie er wollte, und abends las er die Zeitungen.

Der einzige Nachteil war, daß ihn Franco immer Esterhatschi nannte. Er war nämlich aus Italien, und in Italien heißen alle Esterhazys Esterhatschi.

Naja, dachte Esterhazy, die Italiener wissen es eben nicht besser.

Eines Tages sagte Franco zu seiner Frau: «Heute gehen wir aus.»

«Aber nicht ohne Esterhatschi», rief Pizzi.

«Einen Hasen kann man doch nicht ins Restaurant mitnehmen», meinte Francos Frau.

«Warum nicht?» fragte Franco.

Es war ein wunderbares Restaurant, wo man die frischesten Salate und das feinste Gemüse bekommen konnte. Um die Wahrheit zu sagen, Esterhazy hatte die ewige Sachertorte allmählich satt. Er bestellte sich eine große Portion gemischten Salat. Der Kellner war ein finster dreinblickender Geselle. Er sagte: «Heute darf ich Ihnen besonders unseren Hasenbraten empfehlen.»

Esterhazy traute seinen Ohren nicht.

«Wollen Sie damit sagen, daß man hier tote Hasen ißt?» fragte er.

«Heute besonders zart», antwortete der Kellner.

Esterhazy fand das geschmacklos. Demnächst, dachte er, werde ich noch geschlachtet, wenn ich hier sitzen bleibe. Er sprang davon und hoppelte zum Auto. Der ganze Abend war ihm verdorben.

Er schrieb an den Fürsten.

«Ich habe entdeckt, daß es in Berlin Hasenfresser gibt. Von Mimi immer noch keine Spur.»

Es war zum Verrücktwerden. In den Zeitungen war die ganze Zeit von der Mauer die Rede, aber soviel Esterhazy auch mit seinem Freund Franco in der Stadt herumfuhr, überall waren nur Kioske und Konditoreien zu sehen. Nirgends eine ordentliche Mauer!

Endlich faßte er sich ein Herz und fragte seinen Freund: «Franco, sag mal ehrlich: Die Mauer, gibt's die überhaupt?»

Franco lachte. «Ich glaube schon», sagte er. «Wollen wir mal hinfahren?»

«Ach ja», sagte Esterhazy. «Bitte!»

Am nächsten Sonntag fuhr die ganze Familie meilenweit durch die Stadt. Es roch nach Herbst. Esterhazy war ganz aufgeregt. Er verkroch sich unter seinen Kissen und deckte sich mit einer Menge alter Zeitungen zu.

Auf einmal hielt der Lieferwagen an.

Eine laute Stimme sagte: «Ihre Papiere!»

Eine andere Stimme sagte: «Was führen Sie an Waren mit?»

«Nichts», sagte Franco.

«Und was ist das dahinten?»

«Ein paar Apfelkuchen und Sachertorten, alte Decken und Zeitungen, sonst nichts.»

«Ich habe vergessen, sauberzumachen», sagte Francos Frau.

«Na», sagte die Stimme, «dann wollen wir mal nachschauen.» Und eine riesige Hand begann in den Decken und Kissen und Zeitungen zu wühlen, unter denen sich Esterhazy versteckt hatte.

Er sprang mit einem einzigen großen Satz aus dem Auto und rannte davon, so schnell er konnte.

«Halt! Stehenbleiben!» rief der Mann mit der lauten Stimme. Er hatte eine grüne Uniform an und sah aus, als würde er jeden Tag einen Hasen essen.

«Esterhatschi! Wo bist du?» rief Franco.

«Komm zurück!» rief Francos Frau.

«Bitte!» rief Pizzi.

Aber Esterhazy war schon so weit fort, daß er sie nicht mehr hören konnte.

Er rannte wie verrückt, und als er stehenblieb, sah er die Mauer.

Es war eine endlos lange, graue Mauer, und die Wiese vor der Mauer roch wunderbar.

Sie roch nach Hasen.

«Hallo», rief eine Hasenstimme. «Kennen wir uns?»

Die ganze Wiese war voller Hasen, und Esterhazy wurde mit Jubel begrüßt.

Als die anderen Hasen merkten, daß er ein echter Esterhazy war, waren sie sehr stolz.

«Du hast uns gerade noch gefehlt», sagten sie. «Komm, wir zeigen dir unsere Höhle.»

Kaum war er in die Höhle geschlüpft, da sah Esterhazy eine sehr schöne, braun und weiß gescheckte Frau. Zuerst war er erschrocken, denn eine so große Häsin hatte er noch nie gesehen.

Aber da warf sie sich schon an seinen Hals.

«Esterhazy! Mein lieber Esterhazy!» rief sie.

«Mimi!» rief er und gab ihr einen Kuß.

Er mußte sich auf die Zehenspitzen stellen, denn sie war fast doppelt so groß wie er.

Aber er erinnerte sich an die guten Ratschläge des Fürsten. Damit ihr größere Kinder bekommt, müßt ihr euch eine besonders große Frau suchen, hatte der Fürst gesagt.

Und außerdem roch Mimi wunderbar.

Dann zeigte ihm Mimi die ganze Höhle und lud ihn in ihre kleine Wohnung ein. Sie erzählte, wie gemütlich das Hasenleben hinter der Mauer war.

Die Soldaten waren extra dazu da, um auf sie aufzupassen, damit sie kein Auto überfahren konnte. Wenn sie ein Butterbrot übrig hatten, warfen sie es den Hasen hin, und manchmal hatten sie auch ein paar Karotten. Natürlich war die Küche nicht so gut wie in Wien, sagte Mimi, aber dafür hatte man hier seine Ruhe.

Postkarte an den Fürsten.

«Viele Grüße von der Berliner Mauer. Esterhazy und Mimi.
PS: Es geht uns gut, nur gibt es hier keine Mozartkugeln.»

So lebten die beiden glücklich und zufrieden in ihrer Höhle hinter der Mauer, bis eines Tages, mitten in der Nacht, ein ungeheurer Krach losging. Auf der ganzen Hasenwiese trampelten Hunderte von Menschen herum, und alle schimpften auf die Mauer. Sie hatten Hämmer und Bohrer dabei und fingen an, die Mauer kaputtzumachen.

«Was ist los?» fragte Esterhazy.

«Die Mauer muß weg!» riefen die Leute.

Am nächsten Abend war die ganze Hasenwiese schwarz von Menschen. Überall lagen zerbrochene Bierflaschen herum, und von der Mauer waren nur noch ein paar Trümmer übrig. Die Leute waren außer sich vor Freude, aber Esterhazy und Mimi wußten nicht warum.

«Ohne Mauer», sagte Mimi, «ist Berlin ziemlich ungemütlich, findest du nicht? Ich meine natürlich, für Hasen.»

«Weißt du was?» sagte Esterhazy. «Wir ziehen aufs Land.»

Sie sprangen davon, immer weiter und weiter, bis sie die letzten Häuser hinter sich gelassen hatten. Dann setzten sie sich hin, um ein bißchen auszuruhen.

«Ich gebe ja zu, daß ich ziemlich klein bin», sagte Esterhazy. «Aber du könntest mich trotzdem heiraten.»

«Natürlich, du Dummkopf», sagte Mimi.

Nun müßt ihr wissen, daß es genau sechs Wochen und keinen Tag länger dauert, bis eine Häsin ein paar Hasenkinder kriegt. Und deswegen dauerte es genau sechs Wochen, bis an alle Esterhazys auf der Welt viele tausend Karten verschickt wurden, auf denen in gestochen schöner Schrift zu lesen war:

S. E. Michael Paul Anton Maria Prinz Esterhazy
der 12 792. von Salatina, gefürsteter Graf zu Karottenstetten, Graf
von Endivienstein, Herr auf Petersilienburg, Lauchingen und Rübhofen,
Kommandant des souveränen Baldrian-Ritterordens,
Träger des Großkreuzes zur Goldenen Gurke. etc. etc.,
und seine Gemahlin
Mimi Helene Leopoldine Franziska
aus dem Hause Kleefeld-Sauerampfer
geben sich die Ehre, zu ihrer größten Freude
die Geburt ihrer Söhne:
Johann Nepomuk Moritz Kasimir Michael Esterhazy
des 12 793.,
Franz Maria Nikolaus Alexander Michael Esterhazy
des 12 794., und
Philipp Joseph Valentin Julius Michael Esterhazy
des 12 795.
sowie ihrer Töchter:
Maria Amalie Karoline Mimi Auguste Esterhazy
der 12 796.,
Emilia Johanna Elisabeth Mimi Gabriele Esterhazy
der 12 797., und
Theresia Leopoldine Mimi Josepha Esterhazy
der 12 798.
bekanntzugeben.
Die Taufe findet im engsten Familienkreise am Waldrand statt.
Von Schokoladespenden bitten wir abzusehen.

Und wenn sie nicht gestorben sind, dann leben die Esterhazys vielleicht heute noch, ohne Mauer, aber mit vielen schönen großen braun-weiß gescheckten Hasenkindern, irgendwo am Waldrand, wo es keine Autos, keine Kaufhäuser und keine Restaurants gibt, in denen man Hasen ißt.